CW00864014

NÄETKÖ MINUT LUONNOSSA?

Näetkö minut luonnossa?, suomalainen alkuperäisteos

Teksti ***Tuula Pere***
Kuvitus ***Majigsuren Enkhbat***
Taitto ja ulkoasu ***Peter Stone***

ISBN 978-952-357-582-0 (Hardcover)
ISBN 978-952-357-583-7 (Softcover)
ISBN 978-952-357-584-4 (ePub)
Ensimmäinen painos

Kustantaja Wickwick Oy
2021, Helsinki

Do You See Me in Nature?, original Finnish text

Story by ***Tuula Pere***
Illustrations by ***Majigsuren Enkhbat***
Layout by ***Peter Stone***

ISBN 978-952-357-582-0 (Hardcover)
ISBN 978-952-357-583-7 (Softcover)
ISBN 978-952-357-584-4 (ePub)
First edition

Published 2021 by Wickwick Ltd
Helsinki, Finland

Originally published in Finland by Wickwick Ltd in 2021
Finnish "Näetkö minut luonnossa?", ISBN 978-952-357-582-0 (Hardcover)
English "Do You See Me in Nature?", ISBN 978-952-357-573-8 (Hardcover)

NÄETKÖ MINUT LUONNOSSA?

TUULA PERE · MAJIGSUREN ENKHBAT

Onko tämä pitkä polku?

”Kävellään vielä kilometrin verran.”

“Onko kilometri pitkä matka?
Haluaisin pysähtyä.”

“Vähän vielä. Luontopolulla
on paljon nähtävää.”

“Täällä on vaikea kulkea!”

Tauon paikka

”Istutaan välillä
tälle kalliolle.”

”Kyllä mehu ja
leivät maistuvat!”

“Voidaan kuunnella
eri lintujen ääniä.”

"Tuolla rääkkyy varis!"

"Kuulen iloista liverrystä.
Tässä lähellä on peipon pesä."

...Olipa kiva retki!

Onko pakko kerätä marjoja?

”Löytyipä hyvä marjapaikka!”

“Täältä saadaan astiat täyteen.”

”Kerää nyt sinäkin omaan kuppiin!”

“Sammaleiset kivet ovat liukkaita.
On vaikea kävellä!”

“Apua! Hyttyset pistävät minua!”

”Kaikki
marjat
kaatuivat!”

Mitä jos tekisit majan?

”Ei sinun ole tarvitse kerätä
marjoja, jos et jaksa.”

”Tuolla auringonpaisteessa
ei ole hyttysiä!”

”Voit vaikka rakentaa
oksista majan.”

”Olemme tässä
aivan lähellä.”

”Tulipa hieno maja!”

Onko täällä vaarallisia kaloja?

”Onpa mukava ranta.”

”Nyt päästää uimaan.”

”Tämä on puhdas
ja kalaisa järvi.”

“Miksi seisot rannalla?”

“Tule tänne veteen
äidin luo!”

”En voi uida!
Kala voi syödä varpaat!”

Polskitaan yhdessä

”Täällä on sopivan matalaa ja turvallista.”

“Lähellä on vain pikkukaloja. Ne katsovat uteliaina, miten sinä opettelet uimaan.”

“Polskitaan ensin yhdessä vettä, niin kaikki pikkukalatkin siirtyvät kauemmaksi.”

“Kuka saa veden roiskimaan korkeimmalle?”

”Uiminen on kivaa!”

On niin kylmä!

”Nyt veneeseen.
Käydään pienellä ajelulla.”

”Jännittää vähän!”

”Ei tarvitse pelätä.
Pannaan pelastusliivit päälle.”

”On kylmä.
Uimapuku on vielä märkä.”

”Ei saa koko ajan valittaa!”

”Mutta minulla on niin kylmä!”

Leikitään auringossa

”Palataan takaisin
rannalle lämmittelemään!”

“Sopii. Voidaan tehdä
veneajelu myöhemmin.”

“Tässä on kuivat vaatteet.”

“Ollaanko hippaa?”

”Aurinko lämmittää mukavasti”

Löysin tulikärpäsen!

”Äiti, tule katsomaan!
Löysin tulikärpäsen.”

“Näytä isälle!
Luen juuri kirjaa.”

”Isä, isä! Katso!”

“Olen ongella.
Nyt täytyy olla hiljaa!”

”Kalat menevät
muuten karkuun...”

”Mutta tämä tulikärpänen karkaa kohta!”

Katsotaan yhdessä

”Panen tämän ongen pois
ja tulen katsomaan.”

”Näyttäkää minullekin!”

”Haluatko oppia
laulun tulikärpäsestä?”

”Lauletaan yhdessä!”

“Nyt se karkasi!”

”Se lentää
omaan kotiinsa.”

”Olipa sievä tulikärpänen.”

Jännittävä metsä

”Voivatko puut kaatua?”

“Ne vain heiluvat tuulessa.”

”Mikä rapisee?”

”Metsä on täynnä eläimiä.”

“Ovatko ne vaarallisia?
Mikä tuo ääni oli?”

"Minua pelottaa,
tahdon nopeasti
kotiin!"

Kuunnellaan ja katsellaan

”Ei tarvitse pelätä.
Pöllö siellä vain huhuilee.”

“Kuka koputtaa puunrunkoa?”

“Taitaa olla tikka.”

”Tuolla hyppii orava!”

”Se vie ruokaa
poikasilleen.”

”Metsä on monen
eläimen koti.”

”Huomenna tutkitaan
yhdessä luontokirjaa!”

CPSIA information can be obtained
at www.ICGtesting.com
Printed in the USA
BVHW051013261021
619918BV00005B/203